Barbidou Barbabelle Barbapapa Barbamama

BARBAPAPA

Le Noël des Barbapapa

Annette Tison
& Talus Taylor

LES LIVRES DU DRAGON D'OR

Barbotine et Lolita aident le père Noël
à distribuer les cadeaux.

La nuit est longue...

Barbotine s'endort.

Attention, Barbotine !

8

Catastrophe ! Le traîneau
et son contenu sont
projetés en l'air.

Vite ! Barbatruc !

Bravo, Barbotine !

13

Chaque problème
a une Barbasolution.

Les Livres du Dragon d'Or
60 rue Mazarine, 75006 Paris.

© 2013 A.T.
Loi n° 49-956 du 16 juillet 1949 sur les publications destinées
à la jeunesse, modifiée par la loi n° 2011-525 du 17 mai 2011.
ISBN : 978-2-82120-239-9. Dépôt légal : octobre 2013.
Imprimé en Chine.

Barbalala Barbidur Barbouille Barbotine Barbibu